Le Canada vu de près

Alertes météo d'été

Phénomènes climatiques canadiens

Nicole Mortillaro

Texte français de Marie-Josée Brière

Éditions Scholastic

Pour Sara, Scott et ma famille

Crédits-photos

Page iv : Juan Silva/Getty Images; page 2 : Dave Reede/First LightTM; page 3 : gracieuseté de George Kourounis; page 8 : Corbis/ First LightTM; page 9 : gracieuseté de Marc Nagy; page 14 : gracieuseté de Pascal Desjardins; page 16 : gracieuseté de James Koole; page 17 : gracieuseté du Groupe Madie Solution Publicité; page 18 : gracieuseté de James Koole; page 19 : gracieuseté d'Art Houghton; page 20 : gracieuseté de Marc Nagy; page 22 : gracieuseté de Wayne Roraph; page 25 (en haut et médaillon) : gracieuseté de la National Oceanic and Atmospheric Administration Photo Library, NOAA Central Library; OAR/ERL/National Severe Storms Laboratory (NSSL); page 26 : gracieuseté de George Kourounis; page 27 : gracieuseté de Chad Zallas; page 28 : gracieuseté de la National Oceanic and Atmospheric Administration Photo Library, NOAA Central Library; OAR/ERL/National Severe Storms Laboratory (NSSL); page 29 : gracieuseté de Robert den Hartigh; page 32 : gracieuseté d'Environnement Canada; page 33 : gracieuseté du *Edmonton Sun*, Dan Riedlhuber; page 36 : gracieuseté de MODIS Rapid Response Project at NASA/GSFC; page 37 : gracieuseté de Marc Nagey; page 39: gracieuseté de la National Oceanic and Atmospheric Administration; page 40 : gracieuseté de Roger Percy et Andre Laflamme, Environnement Canada; page 41 : gracieuseté d'Environnement Canada; page 43 : gracieuseté de la National Oceanic and Atmospheric Administration; page 45 : gracieuseté de la National Oceanic and Atmospheric Administration; page 46 : gracieuseté d'Eldon Griffiths; page 47 : gracieuseté de George Kourounis; page 50 : gracieuseté de Roger Lemire, reproduit avec l'autorisation des Publications du Québec; page 53 : Glenbow 2496-4; pages 54 et 55 : gracieuseté d'Environnement Canada; pages 55 : gracieuseté de la Tour CN.

Nous tenons à remercier tout particulièrement Geoff Coulson d'Environnement Canada, et David Sills, scientifique du temps violent, Division de la recherche sur la physique des nuages et le temps violent, Service météorologique du Canada, qui nous ont fait bénéficier de leurs conseils et de leur expertise.

Catalogage avant publication de la Bibliothèque nationale du Canada

Mortillaro, Nicole, 1972-

Alertes météo d'été : phénomènes climatiques canadiens / Nicole Mortillaro ; texte français de Marie-Josée Brière.

(Le Canada vu de près)
Traduction de: Sun and storms.

ISBN 0-439-95747-8

1. Été—Canada—Ouvrages pour la jeunesse.   2. Canada—Climat—Ouvrages pour la jeunesse. I. Brière, Marie-Josée II. Titre. III. Collection.

QC981.3.M67314 2005   j551.6971   C2004-906443-6

Édition publiée par les Éditions Scholastic, 175 Hillmount Road, Markham (Ontario) L6C 1Z7 Canada.

6 5 4 3 2 1   Imprimé au Canada   05 06 07 08 09

Table des matières

Introduction

Bien des gens voient le Canada comme un pays de neige et de froid. Mais c'est loin d'être toujours vrai. Tous les étés, nous avons des vagues de chaleur, des tornades, des inondations... parfois même des ouragans!

L'été est la saison préférée de beaucoup de Canadiens. En effet, quand il fait chaud, il y a une foule de choses à faire à l'extérieur : se baigner, faire de la bicyclette ou aller au parc.

Le climat estival aide la végétation à pousser. Nos plantes et nos pelouses ont besoin de pluie et de chaleur pour leur croissance. Et nous aussi!

Chapitre 1

Le Soleil et le vent

As-tu déjà remarqué que les gens parlent tout le temps des conditions de la météo? C'est parce qu'elles nous touchent tous. Et, comme elles changent constamment, c'est un sujet de conversation inépuisable.

Mais qu'est-ce que la météo? C'est l'observation des facteurs comme la température, la pluie et le vent à un moment et à un endroit donnés.

Le temps change tous les jours, toutes les heures et même toutes les minutes. La température se réchauffe ou se refroidit. Le Soleil apparaît ou se cache derrière les nuages. C'est d'ailleurs lui qui cause tous ces changements. Il contribue même à la formation du vent et de la pluie.

La chaleur du Soleil réchauffe le sol et l'air de l'**atmosphère**. L'atmosphère est invisible, mais elle est toujours là. Elle protège notre planète comme une épaisse couverture. Elle se compose de nombreux gaz, y compris de la vapeur d'eau et de minuscules particules. Elle empêche aussi l'air et la chaleur de s'échapper loin de la Terre.

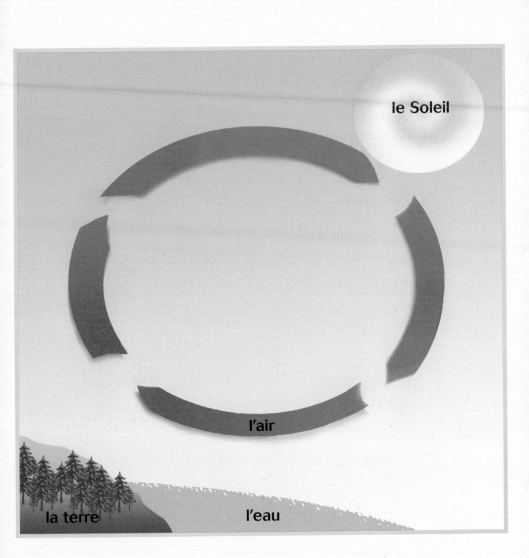

le Soleil

l'air

la terre

l'eau

L'air chaud monte et est remplacé par de l'air froid. En s'élevant, la masse d'air chaud se refroidit et redescend. L'air se déplace toujours autour de notre planète. C'est ce qui crée le vent.

Quand le Soleil réchauffe la surface de la Terre, l'air près du sol devient plus chaud. Alors, il monte et est remplacé par l'air froid qui descend. En s'élevant dans l'atmosphère, il se refroidit à son tour et redescend. Comme elles ne peuvent pas occuper le même espace, la masse d'air chaud qui monte et celle d'air froid qui descend se poussent mutuellement. C'est ce qui crée des courants d'air – et donc du vent – autour de la planète.

Nous avons différentes saisons parce que notre planète tourne autour du Soleil. En même temps, elle pivote sur elle-même.

La Terre n'est pas à la verticale, comme une toupie, mais légèrement inclinée. À certains moments, il y a donc une partie de la planète qui est tournée vers le Soleil et qui reçoit directement ses rayons. Quand c'est notre région de la Terre qui est orientée de cette façon, il fait plus chaud. Et quand elle est inclinée du côté opposé au Soleil, il fait plus froid. Lorsqu'une plus grande partie des rayons du Soleil frappe droit sur le Canada, c'est l'été!

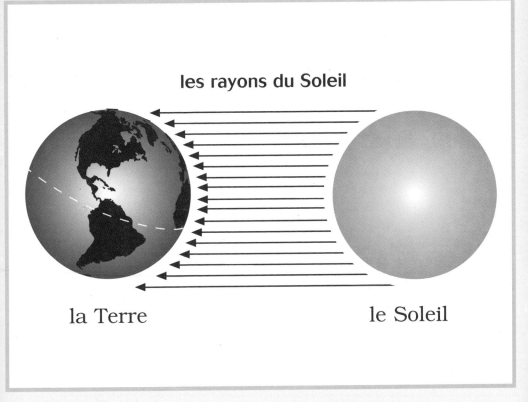

les rayons du Soleil

la Terre   le Soleil

● Lorsqu'une grande partie des rayons du Soleil frappe droit sur le Canada, il fait plus chaud.

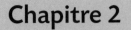

Chapitre 2

La pluie et les nuages

As-tu déjà dû annuler une excursion au parc parce qu'il pleuvait? C'était peut-être décevant, mais nous avons besoin de la pluie.

Comme la chaleur du Soleil, la pluie aide la végétation à pousser. Sur Terre, tout a besoin d'eau pour survivre – même nous!

Que ressens-tu quand tu n'as rien bu depuis un certain temps? Tu as très soif, n'est-ce pas? C'est la même chose pour les plantes et les animaux quand il ne pleut pas assez.

La pluie vient des nuages. Mais comment arrive-t-elle jusque-là? Voici une petite expérience à faire. Par une journée très chaude, verse un verre d'eau sur le trottoir. Après une heure, retourne à l'endroit où tu as versé l'eau. Il n'en reste plus. Où est-elle allée?

La chaleur du Soleil l'a transformée de l'état liquide en un gaz appelé **vapeur d'eau**. Ce processus s'appelle l'**évaporation**.

Quand la vapeur d'eau s'élève haut dans l'atmosphère, elle se refroidit et reprend la forme de minuscules gouttelettes. Celles-ci se combinent à d'autres éléments, par exemple des particules de poussière, pour former les nuages que nous voyons dans le ciel.

Quand les gouttelettes sont assez grosses, elles tombent des nuages. C'est la pluie.

Elle se refroidit et forme des nuages.

Elle tombe sous forme de pluie.

L'eau s'évapore.

● Quand l'eau des océans, des lacs et des rivières s'évapore, elle se transforme en vapeur d'eau. La vapeur d'eau s'élève dans notre atmosphère, où elle se refroidit. Elle reprend alors la forme de gouttelettes d'eau, ce qui nous donne la pluie.

Les nuages peuvent nous en dire long sur le temps qu'il fera. Voici quelques-uns des types de nuages les plus courants.

Cumulus

Ce sont les nuages rebondis qu'on voit quand il fait beau. Ils n'apportent pas de pluie, mais ils peuvent parfois grossir et devenir des cumulonimbus.

Cumulonimbus

Ces nuages rebondis, aplatis sur le dessus, flottent en haute altitude. Ils peuvent produire de fortes pluies, des éclairs et du tonnerre.

Cirrus

Ces nuages flottent haut dans le ciel et forment de délicates bandes effilées. On les compare parfois à des queues de cheval. D'ordinaire, ils sont le signe de beau temps.

Nimbostratus

Ces nuages, qui sont habituellement gris foncé, peuvent apporter de la pluie ou de la neige légère.

Stratus

Ces nuages se présentent en plusieurs couches et couvrent généralement tout le ciel. Ils apportent parfois un peu de pluie.

Types de nuages

La pluie est bonne pour tout et pour tout le monde sur Terre. Mais que se

La lumière qui nous parvient du Soleil est composée de plusieurs couleurs. Quand le Soleil sort, après un orage, il arrive que cette lumière traverse les gouttelettes d'eau qui restent dans l'air. Ces gouttelettes séparent alors les couleurs de la lumière, et il se forme un arc-en-ciel!

passe-t-il quand il y en a trop? Cela peut poser des problèmes.

Quand tu fais couler de l'eau dans la baignoire pendant que celle-ci se vide, mais que le débit est trop fort, l'eau ne peut pas s'écouler assez rapidement, et la baignoire peut déborder. C'est aussi ce qui arrive à notre planète.

Des pluies trop abondantes causent parfois des inondations. Le sol ne réussit pas à absorber toute l'eau suffisamment vite. Le niveau des lacs et des rivières monte, ce qui peut être très dangereux.

Les inondations peuvent entraîner à la dérive des voitures et même des maisons tout entières. Dès qu'une inondation commence, il faut se réfugier dans un endroit élevé. Les eaux de crue peuvent se déplacer très vite, et il n'est pas nécessaire qu'elles soient très profondes pour renverser quelqu'un.

C'est pourquoi il est important de se tenir loin des cours d'eau après de fortes pluies.

Un nuage apporte de la pluie vers la ville.

En 1996, la région du Saguenay, au Québec, a vécu l'une des pires inondations de l'histoire du Canada. La crue a été assez puissante pour détruire un centre commercial au complet!

Chapitre 3

Le tonnerre et les éclairs

Au Canada, la plupart des orages
se produisent pendant l'été.

Les orages peuvent être très
impressionnants. Les plus violents
s'accompagnent parfois de vents forts
ou de grêle. Mais bien des gens les
trouvent magnifiques et excitants.
Les orages apportent des éclairs
et du tonnerre, en plus de la pluie.

Les orages se déroulent en trois étapes.

1. Quand l'air frais et sec en altitude se mélange à l'air chaud et humide près du sol dans des conditions idéales, il se forme rapidement un cumulus. C'est la première étape.

● Un cumulonimbus se forme à partir d'un cumulus.

2. Pendant la deuxième étape,
le nuage s'élève haut dans le ciel
et s'aplatit sur le dessus. Il s'est
transformé en cumulonimbus. Quand
tu vois un nuage de ce genre, cela
signifie qu'un orage se prépare!

Des milliards de gouttelettes d'eau
s'amoncellent dans le nuage. Celui-ci
finit par être tellement gorgé d'eau
que la lumière du Soleil ne peut pas
passer au travers. C'est pour cela que
le nuage est sombre.

À l'intérieur du nuage, les gouttelettes
d'eau entrent en collision avec des
particules de glace. C'est ce qui
cause le tonnerre et les éclairs.
Les gouttelettes d'eau grossissent et,
quand elles deviennent trop lourdes,
il se met à pleuvoir.

3. La troisième étape, c'est la fin de
l'orage. La pluie cesse et le nuage
rétrécit.

La foudre peut être amusante à observer, mais elle est aussi très dangereuse. Chaque année, elle tue de six à dix personnes au Canada.

● Chaque année, la foudre allume des incendies dans nos forêts. En 2004, elle en a causé plus de 400 en Colombie-Britannique. Ces incendies se sont propagés très vite parce que les orages n'étaient pas accompagnés d'une pluie suffisamment abondante pour les éteindre. Bien des gens ont dû quitter leur domicile, et beaucoup de maisons ont brûlé.

Elle cause également plus de la moitié des incendies de forêt.

Mais qu'est-ce que la foudre? As-tu déjà touché à quelqu'un après t'être frotté les pieds sur un tapis? Qu'est-ce qui s'est passé? Tu lui as donné un choc électrique parce que de l'**électricité statique** s'était accumulée à l'intérieur de ton corps, au contact du tapis.

L'électricité statique est de l'électricité qui se cherche un endroit où aller. Quand tu as touché l'autre personne, cette énergie est passée de ton corps au sien et tu lui as donné un choc.

La foudre se forme de la même façon. Lorsque les gouttelettes de pluie et les particules de glace se heurtent à l'intérieur du nuage, elles créent de l'électricité statique. Cette électricité tente de se transférer à autre chose.

Le plus souvent, elle se transfère à un autre nuage, mais il lui arrive de se transférer au sol. C'est ce que nous appelons la foudre.

La foudre cause aussi le bruit que nous appelons le tonnerre. Quand la foudre frappe, l'air qui l'entoure devient vite très chaud et se dilate rapidement. Cela crée une onde sonore.

Si le tonnerre claque comme un coup de feu, c'est que l'orage est proche. S'il produit plutôt un grondement sourd, c'est qu'il est loin.

Il peut aussi grêler pendant un orage. Les grêlons sont des billes de glace qui tombent d'un nuage orageux. Ils se forment quand les gouttelettes d'eau s'agglutinent sur des particules de poussière dans l'atmosphère.

L'eau gèle et descend. Puis le vent la fait remonter dans le nuage, où il fait très froid. Ce phénomène se produit plusieurs fois, jusqu'à ce que les grêlons

● La grêle peut causer beaucoup de dégâts. Elle peut abîmer des voitures, des maisons et même des cultures. Presque chaque année, elle fait perdre à des agriculteurs canadiens une partie de leur récolte. Alors, si tu entends ou que tu vois de la grêle, rentre vite à l'intérieur pour éviter de te faire frapper!

soient trop lourds pour le nuage et qu'ils tombent. C'est pourquoi, si tu réussis à ouvrir un grêlon, tu y trouveras plusieurs couches de glace.

● Les vents forts qui soufflent pendant un orage peuvent aussi être dangereux. En 1999, en Ontario, un orage soudain a renversé des voitures et endommagé des bâtiments.

En 2004, un violent orage s'est abattu sur Edmonton, en Alberta. De fortes pluies ont inondé certains quartiers de la ville. Le toit du centre commercial West Edmonton a été endommagé par la grêle et, en sortant, les gens ont trouvé leur voiture presque entièrement sous l'eau. Avec toute cette grêle, on se serait cru en plein hiver!

Chapitre 4

Les tornades

Les tornades comptent parmi les phénomènes les plus effrayants que peuvent apporter les orages violents.

La plupart d'entre nous n'en ont probablement jamais vu, mais le Canada en enregistre environ 80 chaque année!

Les tornades surviennent d'ordinaire pendant des orages très violents. Elles ne peuvent se former qu'avec la combinaison idéale de température, d'humidité et de vent.

Au cours d'un orage, il y a toujours de l'air chaud et humide qui s'élève à partir du sol. Si les vents changent de vitesse et de direction d'une façon particulière, l'air chaud qui s'élève peut se mettre à tourbillonner et créer un entonnoir dans le bas des nuages.

Ces nuages en entonnoir ne touchent pas toujours le sol, mais quand cela se produit, c'est ce qu'on appelle une tornade. Dans certaines tornades, le bas de l'entonnoir est invisible. On ne peut pas le voir, mais il touche quand même le sol.

La tornade est comme un énorme aspirateur qui ramasse tout sur son passage : la poussière, la terre et tout ce qui se trouve devant lui. La plupart des tornades sont assez petites, mais elles causent quand même beaucoup de dégâts. Les tornades peuvent avoir des formes et des grosseurs différentes.

● Les vents tourbillonnants d'une tornade peuvent ramasser presque tout sur leur passage.

Au Canada, les tornades frappent normalement de mai à septembre, la plupart en juin et juillet. Les provinces les plus à risque sont l'Ontario, la Saskatchewan, l'Alberta et le Manitoba.

● Le Canada a connu quelques tornades très violentes au cours des dernières décennies. Le 31 mai 1985, la ville de Barrie, en Ontario, en a subi une qui a détruit beaucoup de maisons. Un grand nombre de personnes ont été blessées grièvement, et certaines sont mortes.

● En juillet 2000, un terrain de camping de Pine Lake, en Alberta, a été frappé par une terrible tornade, qui a renversé des caravanes et déraciné des arbres. Beaucoup de personnes ont été blessées et d'autres sont mortes. La petite Ashley Thomson, âgée de quatre mois, a été éjectée de son siège d'auto et aspirée jusqu'à une hauteur équivalant à un immeuble de trois étages. Elle a ensuite atterri quelques centaines de mètres plus loin avec une simple coupure au pied. On l'a baptisée « le bébé miracle ».

Les **météorologues** sont des scientifiques qui étudient le climat et font des prévisions. Ils se servent d'une échelle pour déterminer de quelle force était une tornade qui vient de frapper. C'est l'échelle Fujita, qui a été créée par un météorologue du nom de Tetsuya Fujita.

Pendant un orage violent, les météorologues peuvent annoncer une **veille de tornade** ou émettre un **avis de tornade**. Une veille de tornade signifie qu'une tornade pourrait se produire, tandis qu'un avis de tornade veut dire qu'une

Échelle Fujita

F0 – vents de 64 à 116 km/h : arbres et toits endommagés

F1 – vents de 117 à 180 km/h : voitures renversées et arbres déracinés

F2 – vents de 181 à 252 km/h : toits de maisons arrachés et maisons mobiles détruites

F3 – vents de 253 à 330 km/h : bâtiments de métal effondrés, forêts et terres agricoles dévastées

F4 – vents de 331 à 417 km/h : peu de murs encore debout

F5 – vents de 418 à 509 km/h : maisons détruites ou emportées (très rare). Certains croient que le Canada n'a jamais connu de tornade de cette force.

Il y a certaines choses à faire pour être en sécurité pendant une tornade.

1. Tiens-toi loin de toutes les fenêtres.

2. S'il y a un sous-sol chez toi, c'est le meilleur endroit où te réfugier.

3. Sinon, étends-toi dans une baignoire avec un matelas ou un oreiller sur la tête, pour te protéger des objets qui volent partout pendant une tornade.

tornade est en train de se développer. Si tu entends un avertissement de ce genre, rentre immédiatement à l'intérieur!

Comme la tornade aspire tout sur son passage, elle peut transporter des morceaux de bâtiments, des branches et même des objets aussi gros que des voitures! C'est ce qu'on appelle des **débris**, et c'est un des aspects les plus dangereux des tornades.

Nouvelle-Écosse

Chapitre 5

Les ouragans

Les ouragans sont semblables aux tornades, mais ils se forment uniquement au-dessus des eaux chaudes. Ils sont aussi beaucoup plus forts que les tornades.

Un ouragan prend beaucoup de temps à se former. Au début, ce n'est qu'une tempête.

Pour que la tempête se transforme en un ouragan, il faut :

◎ les eaux chaudes d'un océan,
◎ de l'air chaud et humide,
◎ des vents haut dans l'atmosphère, qui soufflent dans la même direction que les vents près de l'eau,
◎ quelque chose qui va faire tourbillonner la tempête.

Les eaux chaudes de l'océan donnent de l'énergie à la tempête. La rotation de la Terre aide à la faire tourbillonner. Lorsque les vents soufflent très fort (à plus de 120 km/h), on dit que la tempête est un ouragan.

Quand un ouragan touche terre, il commence à perdre de sa force parce qu'il ne peut plus tirer d'énergie des eaux chaudes de l'océan.

Les ouragans ne peuvent pas se former près du Canada. Nos eaux sont trop froides. Mais nous en avons quand même parce qu'ils peuvent parcourir de grandes distances.

Les ouragans durent souvent des jours, et parfois même, des semaines.

L'ouragan Karl

L'ouragan Jeanne

La tempête tropicale Lisa

● Cette photo, prise en 2004, montre l'ouragan Jeanne, l'ouragan Karl et la tempête tropicale Lisa au-dessus de l'océan Atlantique.

Un ouragan peut donc prendre naissance au-dessus des eaux chaudes plus au sud, loin du Canada, et avec le temps, se déplacer vers le nord et atteindre les provinces de l'Atlantique. Lorsqu'il touche terre, il peut être très dangereux pour les gens qui vivent sur sa trajectoire.

L'ouragan Juan a frappé la Nouvelle-Écosse en 2003. Il a fait de nombreux blessés et huit morts. Plus de 100 millions d'arbres ont été détruits! La plus grosse vague enregistrée à ce moment-là mesurait neuf mètres, soit la hauteur d'une maison de trois étages!

Même lorsqu'ils perdent de leur force, les ouragans peuvent être dangereux. En 1954, ce qui restait de l'ouragan Hazel a frappé l'Ontario. Quatre-vingt-une personnes ont été tuées par les inondations causées par la tempête et ses fortes pluies.

Les provinces de l'Atlantique connaissent en moyenne quatre ouragans chaque année. La plupart faiblissent au cours de leur voyage vers le nord, mais ils peuvent quand même causer beaucoup de dégâts.

Comme pour les tornades, les météorologues se servent d'une échelle pour mesurer la force des ouragans. C'est l'échelle Saffir-Simpson, du nom des scientifiques Herbert Saffir et Robert Simpson.

Échelle Saffir-Simpson :

Catégorie 1 – vents de 118 à 153 km/h : arbres endommagés et maisons mobiles soulevées

Catégorie 2 – vents de 154 à 177 km/h : quelques arbres abattus, dommages majeurs aux maisons mobiles, toits de maisons endommagés, inondations

Catégorie 3 – vents de 178 à 210 km/h : gros arbres abattus, maisons mobiles détruites, petits bâtiments endommagés, inondations

Catégorie 4 – vents de 211 à 249 km/h : pancartes arrachées, dommages aux toits, fenêtres et portes, maisons mobiles complètement détruites, graves inondations

Catégorie 5 – vents de plus de 249 km/h : dommages sérieux aux portes et fenêtres, dommages aux toits, petits bâtiments renversés et emportés, graves inondations, dommages sérieux aux maisons près de la côte

L'ouragan Frances se forme au-dessus de l'océan Atlantique en 2004.

Les ouragans s'accompagnent de nombreux phénomènes dangereux : ondes de tempête, vents violents et fortes pluies.

Une **onde de tempête** se produit quand l'eau, poussée par le vent, monte très haut le long des côtes. Elle entraîne de graves inondations dans les régions côtières. Ce phénomène peut également se produire dans des lacs.

Les ouragans peuvent nous jouer des tours. On a parfois l'impression qu'ils ont pris fin parce que les vents cessent brusquement. Mais ce n'est pas du tout le cas! C'est parce qu'on se trouve dans ce qu'on appelle l'« œil » de la tempête. Il n'y a pas de vent, et il peut même faire beau.

On est en plein centre de l'ouragan. Alors, attention! Les vents vont reprendre soudainement, et il est important de rester en lieu sûr.

Cette photo montre l'œil de l'ouragan Isabel, vu de l'espace.

Chapitre 6

Les vagues de chaleur

L'été ne nous donne pas seulement de la pluie et des orages. Il apporte aussi de la chaleur.

Tu aimes peut-être les belles journées chaudes et ensoleillées, mais comme pour tout le reste, trop, c'est trop! Avec la chaleur viennent souvent la canicule, le smog et la sécheresse.

La plupart des gens sont à l'aise à des températures d'environ 22 °C. Mais certains jours d'été, il peut faire bien plus chaud. On parle de vague de chaleur (ou de canicule) quand la température se maintient au-dessus de 32 °C pendant plus de trois jours, ce qui peut être très désagréable!

Pourquoi avons-nous des vagues de chaleur? Elles se produisent quand l'air froid reste immobilisé dans les régions plus au nord et ne peut pas descendre vers le sud pour nous rafraîchir. L'air chaud reste au-dessus de nous sans bouger.

En période de canicule, l'air est très humide. On parle de **taux d'humidité** pour mesurer la quantité d'eau contenue dans l'air. Lorsque le temps est humide, nous ne pouvons pas transpirer suffisamment pour nous rafraîchir. C'est pourquoi nous ressentons davantage la chaleur à ce moment-là.

Voici quelques conseils pour traverser une vague de chaleur en toute sécurité.

1. Bois beaucoup d'eau.

2. Si possible, reste à l'ombre ou dans un endroit climatisé.

3. Fais de l'exercice avec modération.

4. Rappelle à tes parents de ne pas laisser un animal dans la voiture.

5. Repose-toi après chaque demi-heure de jeux à l'extérieur.

6. Utilise toujours un écran scolaire et porte des vêtements protecteurs, par exemple un chapeau.

Bien des scientifiques pensent que la Terre est frappée plus souvent qu'avant par des vagues de chaleur, à cause d'un phénomène appelé le **réchauffement planétaire**.

Nos voitures, nos camions et nos centrales électriques émettent des produits chimiques dangereux, qui créent de la **pollution**. Cette pollution s'élève dans les airs et empêche la chaleur du Soleil de s'échapper dans l'espace.

● Vois-tu la différence entre ces deux photos? Elles montrent toutes deux la ville de Québec. L'une a été prise par temps clair et l'autre, lorsque le ciel était obscurci par le smog.

La chaleur ainsi emprisonnée fait augmenter la température de la Terre. C'est pourquoi on parle de réchauffement planétaire.

Le **climat** est le temps qu'il fait dans une région sur une longue période. Bien des scientifiques pensent que le réchauffement planétaire modifie notre climat anormalement vite.

Tu as peut-être déjà entendu parler du *smog*. C'est un mot tiré de la contraction de deux mots anglais : *smoke* (fumée) et *fog* (brouillard). Le smog résulte de la pollution créée par les produits chimiques présents dans notre atmosphère. En période de canicule, quand l'air est immobile, la pollution reste sur place. On voit parfois un mince nuage brun à l'horizon. C'est le smog.

La sécheresse peut encore aggraver la canicule. Les plantes, les animaux et les humains ont besoin d'eau pour survivre. Mais il nous arrive d'en manquer. Quand une région ne reçoit pas suffisamment de pluie ou de neige pendant une longue période, on dit qu'il y a une **sécheresse**.

Cela se produit quand la vapeur d'eau n'est pas transportée au bon endroit, au bon moment, peut-être en raison d'un système météorologique qui est immobilisé quelque part.

Il y a souvent de la sécheresse dans les Prairies canadiennes. C'est très difficile pour les agriculteurs qui doivent produire les aliments que nous mangeons.

Dans les années 1930, les Prairies ont connu plusieurs périodes de sécheresse. Le sol était très sec, et le vent soulevait d'énormes nuages de poussière qui se déplaçaient d'un bout à l'autre des Prairies et qui empêchaient de voir le soleil. Les gens appelaient ces tempêtes des « blizzards noirs ». C'était sûrement très impressionnant!

Nous avons connu récemment de nombreux épisodes de sécheresse. Il y en a eu en 2002 et en 2003. En fait, les Prairies n'ont jamais été aussi sèches depuis plus de 135 ans!

● Une trombe de poussière dans les années 1930

Chapitre 7

Les extravagances de la météo

⚡ Il arrive que la foudre se déplace à 140 000 km à la seconde. À cette vitesse, une fusée pourrait atteindre la Lune en trois secondes!

⚡ Pour savoir à peu près à quelle distance se trouve un orage, compte les secondes entre l'éclair et le tonnerre. À chaque seconde correspond une distance de 300 mètres. Ce n'est pas très loin! S'ils se produisent au même moment, l'orage est déjà là.

● **La tour CN, à Toronto, est frappée par la foudre 75 fois pas année!**

⚡ Lors des inondations de 1996, le Québec a reçu, en deux jours, autant d'eau qu'il en coule dans les chutes Niagara en quatre semaines!

⚡ Il est faux de dire que la foudre ne tombe jamais deux fois à la même place.

⚡ Chaque goutte de pluie contient environ 15 millions de minuscules gouttelettes de vapeur d'eau.

⚡ Les tornades se produisent généralement en fin d'après-midi ou en début de soirée.

⚡ Le plus gros grêlon au Canada est tombé en Saskatchewan en 1973. Il avait la taille d'une balle de softball, soit environ 9,5 cm de diamètre!

⚡ Le brouillard n'est qu'un nuage en basse altitude, constitué de minuscules gouttelettes qui se ramassent près du sol.

⚡ La pire vague de chaleur au Canada a eu lieu en juillet 1936. À Toronto, la température a alors atteint 41 °C trois jours de suite. Il a aussi fait très chaud dans les Prairies. Au total, plus de 1000 personnes sont mortes en Ontario et dans les Prairies.

⚡ Depuis 1979, on attribue des prénoms féminins et masculins aux ouragans pour pouvoir les identifier plus facilement. Six listes de prénoms sont utilisées en alternance à chaque année. Si un ouragan a causé beaucoup de dommages dans un pays, celui-ci peut demander que le prénom qui a été donné à l'ouragan soit retiré de la liste. C'est ce qu'a fait le Canada en 2004 pour l'ouragan « Juan ». C'était la première fois que le Canada présentait une telle demande.

Les pires tornades au Canada

◎ Regina (Saskatchewan) – 30 juin 1912

◎ Windsor (Ontario) – 17 juin 1946

◎ Sudbury (Ontario) – 20 août 1970

◎ Windsor (Ontario) – 3 avril 1974

◎ Barrie (Ontario) – 31 mai 1985

◎ Edmonton (Alberta) – 31 juillet 1987

◎ Pine Lake (Alberta) – 14 juillet 2000

L'ouragan le plus long à s'être formé dans l'océan Atlantique se nommait Ginger. Il a duré 28 jours!

Quelques records enregistrés pendant l'été au Canada :

L'endroit le plus chaud : Chilliwack (Colombie-Britannique)

La ville la plus sèche : Whitehorse (Yukon)

Le moins de jours ensoleillés : Prince Rupert (Colombie-Britannique)

L'été le plus chaud : Kamloops (Colombie-Britannique)

Le plus de jours d'orage : Windsor (Ontario)

Le moins de jours d'orage : Nanaimo (Colombie-Britannique)

La ville la plus ensoleillée : Medicine Hat (Alberta)

Glossaire

Atmosphère : le mélange de gaz entourant notre planète

Avis de tornade : un avertissement selon lequel une tornade a été observée; s'abriter immédiatement

Climat : le temps qu'il fait dans une région sur une longue période

Débris : des morceaux éparpillés d'un objet brisé

Électricité statique : une forme d'énergie qui s'accumule à l'intérieur d'un objet

Évaporation : lorsque l'eau se transforme en un gaz appelé « vapeur d'eau », sous l'effet de la chaleur

Météorologue : une personne qui étudie le climat et fait des prévisions

Onde de tempête : une hausse du niveau de l'eau causée par une tempête

Pollution : le résultat de l'ajout de produits chimiques (fumée, gaz, etc.) dans le sol ou dans l'air

Réchauffement planétaire : l'élévation de la température de la Terre, causée par les gaz libérés dans l'atmosphère; appelé aussi « effet de serre »

Sécheresse : une longue période de temps sans pluie

Taux d'humidité : la quantité d'eau dans l'air qui nous entoure

Vapeur d'eau : un gaz qui se forme quand l'eau se réchauffe; c'est ce qui compose les nuages

Veille de tornade : un avertissement selon lequel une tornade pourrait se produire dans la région